De

afgeschreven

Stefan Boonen

De watercowboy

Met tekeningen van
Greet Bosschaert

Zwijsen

Boeken met dit vignet zijn op niveaubepaling geregistreerd en gecontroleerd door KPC Onderwijs Adviseurs te 's-Hertogenbosch

1e druk 2004

ISBN 90.276.7747.6
NUR 283

© 2004 Tekst: Stefan Boonen
Illustraties: Greet Bosschaert
Vormgeving: Rob Galema
Uitgeverij Zwijsen B.V., Tilburg

Voor België:
Zwijsen-Infoboek, Meerhout
D/2004/1919/282

Behoudens de in of krachtens de Auteurswet van 1912 gestelde uitzonderingen mag niets uit deze uitgave worden verveelvoudigd, opgeslagen in een geautomatiseerd gegevensbestand, of openbaar gemaakt, in enige vorm of op enige wijze, hetzij elektronisch, mechanisch, door fotokopieën, opnamen of enige andere manier, zonder voorafgaande schriftelijke toestemming van de uitgever. Voor zover het maken van reprografische verveelvoudigingen uit deze uitgave is toegestaan op grond van artikel 16 h Auteurswet 1912 dient men de daarvoor wettelijk verschuldigde vergoedingen te voldoen aan de Stichting Reprorecht (Postbus 3060, 2130 KB, Hoofddorp, www.reprorecht.nl).
Voor het overnemen van gedeelte(n) uit deze uitgave in bloemlezingen, readers en andere compilatiewerken (artikel 16 Auteurswet 1912) kan men zich wenden tot de Stichting PRO (Stichting Publicatie- en Reproductierechten Organisatie, Postbus 3060, 2130 KB Hoofddorp, www.cedar.nl/pro).'

Inhoud

De eerste duik

Ik red me wel. Dat is een goeie eerste zin. Hm. Er is gelukkig niemand die zegt dat dit moet. Die me verplicht om dit allemaal op te schrijven. Maar Irene, de vrouw van de bibliotheek, vond het wel een goed idee. Het zou de druk uit mijn schedel halen, dacht ze. De barstende hoofdpijn waaraan ik soms bijna ten onder ga.

De stukken die Irene al heeft gelezen, vond ze boeiend en triest soms. Ik durfde niet te vragen wat ze daarmee bedoelde. Is het triest slecht of boeiend goed? Tja.

Het is ook haar idee om dit eerste hoofdstuk het laatst te schrijven. Zo werken echte schrijvers meestal, beweert Irene. Kan zijn.

Vanmorgen heb ik mijn kamer opgeruimd. Oude puzzels in de vuilnisbak gestopt, de foto van de trompetvis aan de muur gehangen. Ik heb een heleboel stofnesten gevangen en een beschimmeld stuk chocolade naar buiten gegooid.

De speciale sok van mama heb ik weer achter de kast gestopt. Het is lang niet uitgesloten dat ik hem nog eens nodig heb. Het is hier immers nog steeds verre van ideaal.

Zo blind ben ik niet.

Maar ik red me wel.

De eerstkomende tijd zeker.

Nu ik weet dat ik over drie weken op kamp vertrek. Ik ga dan duiken, in de Middellandse Zee. Vanmorgen viel de brief in de bus. Alles oké. Ik ben officieel ingeschreven.
Fantastisch is dat.
En morgen ga ik naar Antwerpen. Een of ander mega-aquarium bezoeken. Dat is een ideetje van Evelien, het meisje met wie ik mail.
'Ik hoop maar dat je duikzin niet overgaat als je de vissen in het echt ziet,' grapte ze.
Daarover gaat dit verhaal dus. Over mijn duikgekte. Ik ben stapelgek op iets wat ik eigenlijk alleen uit boekjes ken. Maar dit verhaal gaat ook over mij, gewoon over mij. En over mama en mijn gevaarlijke broers. En misschien zelfs over pa.

De komende drie weken overleef ik wel. Ik hou me gedeisd, loop Ajax zo weinig mogelijk voor de voeten. Gisteravond stond de politie nog voor de deur. Ze wilden Ajax, mijn liefste broertje, ondervragen. In verband met een knokpartij een dag eerder. De agent vroeg of ik iets wist. Natuurlijk deed ik net alsof ik van toeten noch blazen wist. Zo'n rund ben ik niet. Het leek me onnodig om de agent te vertellen dat Ajax de dag ervoor met bebloede knokkels en losse tanden was thuisgekomen. Dat nieuwtje bewaar ik in mijn hoofd, een soort wapen. Laat me met rust, Ajax, of ik vertel …
Alvast sorry, trouwens. Ik vrees dat mijn pen soms net zo verward is als mijn gedachten. Mogelijk sla ik be-

langrijke stukken over, blijf ik eindeloos zeuren over details. Er is ook zo veel wat op de een of andere manier aan mijn duikdroom blijft haken. Een beetje zoals in het net van een vissersboot. Naast de kabeljauw en de tong halen die ook oude schoenen, krabben, garnalen, schelpen, kwallen, weet-ik-het naar boven.
Sorry dus, als je vindt dat ik belangrijke dingen vergeet en blijf zeuren over details. Ik schrijf het verhaal op zoals ik het heb beleefd.

Ik red me wel. Nog eenentwintig dagen voor we vertrekken. Een busrit van bijna twintig uur. Zeven nachten niet in mijn eigen, krakkemikkige bed slapen.
Ik lach en lees mijn eerste zin voor de derde keer. Is dit een goede start van mijn verhaal? Of denk je nu al dat ik ze niet allemaal op een rijtje heb? Durf ik dit? Het is bepaald geen sprookje, jakkes nee.
Oké, ik begin met het allereerste mailtje dat ik van Evelien kreeg.
Daar gaan we.

Van: Evelien
Aan: Thor
Onderwerp: Re/

Hoi Thor,

Heet je echt zo?
Het klinkt als een voetballer of iemand uit een strip.

Pa zegt dat het een godennaam is. Klopt dat?
Dat zal wel ... Waarom zou je erover liegen?
Is jouw pa een professor of zo?

Ik vind het alvast fijn dat we dezelfde hobby hebben. Zo zijn er niet veel kinderen. Vorig jaar ben ik met mijn ouders naar Egypte geweest. Naar de Rode Zee. Ge-wel-dig.
Ik heb een enorme school blauwgestreepte snappers gezien.
En mijn papa beweert dat hij een verpleegsterhaai zag.

Sinds die reis weet ik zeker dat ik volgend jaar de cursus voor gevorderden zal volgen. Niet gewoon hier in de buurt, maar op een duikkamp in Frankrijk.
Nu kom ik dus bij het spijtige deel van deze mail.
Nee, ik heb geen oude duikspullen.
Maar als je nog meer vragen hebt ...

Bye en groetjes

Evelien

Een klap van een zeekoe

Dat ik geen vis was, zeiden ze.
En dat voetballen leuker was.
Meer voor jongens, en normaler. Niet zo duur ook. En niet belachelijk. En dat het sowieso niet kon, omdat er geen geld voor was. Bovendien, als er toch geld was, zelfs als we een miljoen euro hadden, dan was er nog geen denken aan.
Begrijp je dat?
En als ik het per se toch wilde, dan moest ik maar verhuizen. Naar Griekenland of Australië of een eilandje in de oceaan zo ver mogelijk hier vandaan.
Een onbewoond eiland, liefst. Waar ik zout water moest drinken en spuuglelijke vissen eten.
En als ik nog langer zeurde, kreeg ik een lel tegen mijn hoofd. Een haaienmep, zo ik wenste.
Of een kwallenbeet.
Een inktvistik.
Een klap van een zeekoe.
Gezellige familie heb ik. Tja, familie. We wonen toevallig allemaal onder één dak.
Daar houdt het zo ongeveer mee op.
Onder dat dak staat trouwens de rest van het huis.
En dat huis staat in de Vlinderstraat. Nummer 96.
De straat die voor een stuk gelijk loopt met het kanaal. Daar, ja. Als je er niet moet zijn, kom je er niet.
Twintig meter voorbij ons huis gaat het asfalt over in

een brokkelig, betonnen wegje. En nog vijftig meter verder in een zanderig bospad.

Bomen genoeg hier, ja. Trieste, kleine dennen die er geen zin in hebben om een echt bos te worden, zoals het dennenbos een heel stuk verderop, voorbij de zandgroeve.
Dit stuk lijkt meer een stort met bomen. Rotzooi, jongens. Auto's die hier overdag en 's nachts stoppen om rommel te dumpen. Mannen in bestelbusjes én vrouwen in Jaguars. Van vuilniszakken tot oude koelkasten en dode katten. Héél soms nemen we zulke types te grazen.
Onze dichtstbijzijnde buren wonen op vijfhonderd meter afstand. Voor een winkel moeten we tien minuten rijden.
Door het raam op zolder kun je, bij helder weer, de kerktoren van Havelen zien. Een dodelijk saai dorp vlak bij de Nederlandse grens. Volgens mijn paspoort woon ik in Havelen. Ik ga er naar school, twintig minuten fietsen. Daar houdt het mee op. Ik voetbal niet en ga nooit naar verjaardagsfeestjes ...
Of nee. Ik lieg. Er is ook een bibliotheek. Het is er droog en ze hebben er twee werkelijk mooie boeken. Twee.
En er staat een computer.
Ergens in Havelen woont trouwens de idioot die de naam Vlinderstraat heeft bedacht. Duidelijk iemand die hier in jaren niet geweest is. Tenzij het als een geweldige mop is bedoeld.

Met vlinders hebben deze kromme streep asfalt en een stuk of wat huizen niks te maken. Meestal stinkt het hier en maken vette rookwolken de wereld een stuk kleiner.
Dat is de schuld van de fabrieken aan de overkant van het kanaal. Het enige waarvan we hier meer dan genoeg hebben zijn geurtjes. Stank in duizend soorten: verbrand afval, mest, rot vlees, kalk, zuur, verf ...
Ik ben gewoonweg in de verkeerde familie geboren en ik wil graag diepzeeduiken.

De foto

Misschien ga ik te vlug. Ik zal ons eerst voorstellen. Netjes, zoals ik dat een eeuwigheid geleden heb geleerd en nu weer grotendeels vergeten ben.
Misschien is het makkelijk als ik de foto neem die in de gang hangt. We staan er allemaal op en ik weet nog wie de foto nam. Een wat oudere man op een fiets die eerst dacht dat we hem wilden overvallen. Hij schrok enorm toen we met zijn drieën op hem afstormden. Gewoon een foto nemen van onze familie viel de man reuze mee.
Van wie het fototoestel was, herinner ik me niet. Kort daarna verdween het, net zo mysterieus als het enkele weken daarvoor opdook.
In het toestel zat een filmpje van zesendertig foto's, waarvan er uiteindelijk maar twee lukten.
De belangrijkste, dat wel.
In de keuken hangt de foto van mama. En de familiefoto hangt dus in de gang. Overigens niet echt handig. Zo vlak naast de deur, op ongeveer een meter hoog. Als het waait, kleppert hij tegen de deurstijl.
Onder de foto zit een flinke deuk in de muur. Een gat, zeg maar. De schuld van pa. Hij probeerde me te meppen met een borstel. Gelukkig was pa dronken en sloeg hij helemaal mis.
Twee maanden geleden was dat. Ergens begin mei.

Een uur later stond pa nog steeds te razen voor de voordeur.
Vanuit het raam op de eerste verdieping dwarrelden zijn kleren op hem neer.
'Weg,' riepen we. 'Hoepel op.'
Ik gooide zijn ondergoed naar beneden. Zes hemden, vijf onderbroeken en zeventien sokken.
Pa vloekte en tierde, hij had verwensingen voor ieder van ons. Spuug op zijn lippen, bloeddoorlopen ogen. Hij stond te beuken op de deur. Wankelend op zijn benen. Hij zou, wacht maar, slaan, meppen, beuken, rammen, breken. Vreselijke dingen, zo veel we wilden.
Pa begreep het pas toen zijn scheergerei op de tegels plofte en er een sporttas op zijn hoofd viel.
Een vonk van helderheid in zijn bezopen hoofd. Net zo onverwacht als de wind soms draait, zweeg hij. Hij stopte al zijn spullen in de tas, keek ons één voor één aan, legde zijn jas over zijn arm.
'Goed dan,' zei hij.
Met gebogen schouders sjokte hij weg. Met bier in zijn benen. Van links naar rechts.
We keken hem niet na. Niet langer dan nodig.

De foto op de gang. We staan op een rij. Helemaal links pa, een beetje krom, slome grijns. Hij is dus weg.
Ma staat aan de andere kant. Haar hand op mijn schouder. Ze glimlacht.
Ma is ook weg. Maar op een andere manier. Ze is

dood. Al een jaar en negen dagen.
De glimlach op de foto is één van mama's laatste lachjes. Een week later werd de pijn erger. Pijn die ze al maanden verstopte. Achter flauwe mopjes en droge hoesten. Niet naar de dokter, nee. Waarom zou ze? Als we allemaal zo snel naar de dokter liepen, zouden we snel bankroet zijn. We waren al bankroet.
Uiteindelijk zocht ze toch een arts op. 'Omdat jullie anders blijven zeuren en aandringen,' grapte ze.
Ze kwam thuis met kanker.
Zwarte plekjes op haar longen, zwarte gaten links en rechts in haar lichaam. Ze maakte het niemand moeilijk, zo was mama. Ik ving onheilspellende woorden op: uitzaaiingen, chemotherapie, veel te laat.
Vijf weken later stierf ze. 's Nachts. Zonder dat ze ooit de zee had gezien.
Het was niet erg druk op de begrafenis.

De wereld onder water

Na mama's dood ontspoorde de boel. Niet dat het daarvoor zo fantastisch goed ging. Of dat mama de beste moeder van heel de wereld was. Nee. Ze kon niet bijzonder lekker koken, had een hekel aan afwassen en het helpen bij huiswerk. Ze rookte te veel en ze kon 's morgens niet uit haar bed komen.
Maar ze was de enige moeder die we hadden.
Ze deed haar best, lijmde de brokken, bewaarde de dromen, hield pa en ons enigszins in toom.
Ze hield van boterhammen met kaas en mosterd.
Ach.

De foto, ja. Naast mij staat …
Wacht even.
Er wordt gebeld.
De afspraak is dat ik nooit de deur open. Er kan inspectie komen, zeggen mijn broers. Mensen die van alles willen weten over ons gezinnetje en zich met nog meer willen bemoeien.
Maar ik ben alleen thuis.
Van school kan het niemand zijn. Daar laten ze me tijdens het schooljaar al met rust. En nu is het vakantie. Twee maanden. Dat is lang.
Dingdong.
Ik stiefel naar de voordeur, zak door mijn knieën en

trek de klep van de brievenbus naar binnen.
'Ja?'
'Is je moeder thuis, jongen. Of je vader?'
'Nee.'
De man zakt door zijn knieën. Het is een jonge kerel met een blonde lok in zijn haren. Hij glimlacht vrolijk en tikt op een koffertje.
'Ik heb een cadeautje,' zegt hij.
'Voor wie?'
'Voor jou, voor jullie allemaal.'
'Waarom?'
'Als je de deur opent, kan ik het uitleggen.'

Het is een verkoper, beweert hij. Van boeken. Het vrolijke van zojuist is weg, zenuwachtig hupt hij van de ene voet op de andere. Of hij er zo snel mogelijk vandoor wil gaan. Komt het door onze rommelige gang? Maakt de geur die al enkele dagen in huis hangt hem zo onrustig? Of misschien bezorgt mijn verschijning hem de kriebels? Ik heb me nog niet gewassen vanmorgen en mijn kleren zijn ook aan een bad toe. Het is stom van hem. Als je naar onze gevel kijkt, weet je al dat hier niks te halen valt.
'Ik zal misschien toch, uh, later terugkomen, jongen,' stamelt hij.
'En het cadeautje dan?'
Hij grimast, haalt een drietal buitenmaatse ansichtkaarten uit zijn jaszak. 'Alsjeblieft.'
'Wauw,' zucht ik. 'Echt wauw, krijgen we die?'
De verkoper glimlacht verrast. 'Vind je ze mooi?'

'Super.' Ik kan mijn ogen nauwelijks afhouden van de heldere kleuren. Zonlicht dat in het water speelt. Het zijn foto's van vissen. Ik herken alleen de barracuda. *De wereld onder water* staat er op elke kaart.
'Zo hebben we een heel boek vol,' zegt de man.
'Wauw.'

Van: Evelien
Aan: Thor
Onderwerp: reis

Hoi,
Papa zei dat het een gekke vraag was.
Vond ik ook.
Maar gek mag toch, of niet?!

Weten jouw ouders niks van duiken en treinen?
Of vraag je het ze liever niet?
Ik denk dat laatste.
Misschien wil je weglopen?

Papa zei dat je in de Middellandse Zee al heel goed kunt duiken. Dat is dus Frankrijk (of Spanje, Italië ...)

Hoeveel een treinkaartje kost kun je opzoeken via internet.

Byebye & wees voorzichtig

Evelien

De sok van mama

De deur slaat dicht en ik weet het al. Ik ben stom geweest. Reken maar van yes. *De wereld onder water* is fantastisch. Zeker als de andere plaatjes, foto's eigenlijk, net zo mooi zijn als deze …

Het is inderdaad een barracuda. Op de andere staan een rog en een gele trompetvis.

Op de achterkant van elk kaartje staat wat uitleg. In vier talen. Nederlands, Frans, Engels en iets waarvan ik vermoed dat het Spaans is. De Latijnse naam voor de vis, hoe groot hij is, in welke oceaan of rivier hij thuishoort, of het een eierlegger is, wat je nodig hebt als je zo'n vis in een aquarium wil houden, blablabla.

Mijn ogen huppen over de letters. Vaak ben ik te ongeduldig voor al dat visgeleuter. Het liefst kijk ik naar de plaatjes. Soms denk ik dat vissen daarvoor zijn gemaakt; om er rustig naar te kijken. De zwembeesten.

Maar wat ben ik stom geweest. Dubbel-oenig. Vis maakt blind.

'Je twijfelt dus, uh, niet?' had de verkoper gevraagd.

'Geen seconde,' deed ik veel te stoer en schreef mijn naam onder het blad dat hij op zijn koffertje had gelegd.

In dat koffertje zit een volledige versie van *De wereld onder water*. Ik mocht alleen de buitenkant bekijken. Een prachtige afbeelding van een bultrog die net boven de bodem van de oceaan zweeft. Een enorme onderwatervogel.

Het is niet eens een echt boek.
Het is een map. Beter, het wordt een map. Over twee weken valt de eerste lading kaarten en het verzamelmapje in onze bus.
12 euro 50.
Daarna volgen er nog twaalf van die zendingen. Bij de laatste zal een kortingsbon voor een aquarium zitten.
Twaalf, nee dertien maal 12 euro 50. Mijn hersens weigeren het te berekenen. Zeker is dat ze me zullen vermoorden. Want wij hebben géén geld. En als er toevallig wel eens geld in huis is, kopen we nuttige dingen: brood, eieren, onderbroeken, motorolie, sigaretten, melk, bier, chips, pennen, veters, strips … Nuttig hangt altijd een beetje af van wie het geld is. Het is nooit van mij.
Ga die man achterna, jengelt een stemmetje in mijn hoofd. Geef hem die kaarten terug.
Ik loop de trap op, naar mijn slaapkamer.
Ik verstop de kaarten in mijn kast. Onder in de schoenendoos waarin ik zwarte stenen en een hoop plastic schelpen bewaar.
Veertien dagen.
Ik vind wel iets. Misschien is de truc van het grote zwijgen de simpelste oplossing. Deden mama en pa ook vaak. Iets bestellen uit een of andere catalogus, een wereldbol of een kamerjas of oorwatjes, en dan niet betalen. En niet reageren op boze brieven. Vaak

gebeurde er uiteindelijk helemaal niks. Alleen bij dure zaken, ik herinner me een stofzuiger en een draagbare computer, daagde er op den duur een deurwaarder op.
Ik zie wel.

Voor alle zekerheid zal ik naar die ene sok zoeken. Hij zit verstopt tussen de kast en de muur. Het is een vuile sok, blauw met een afbeelding van een anker erop.
Die sok is mijn link met mama. Op de herinneringen en de foto's na, is die sok het enige wat ik van haar heb. Ze gaf me hem ongeveer één week voor ze stopte met praten.
'Hier,' zei ze zacht, en ze stopte de sok in mijn verbaasde hand. Ik weet dat ik fronste maar verder niets durfde te vragen. Zat die koude, zwarte ziekte ook in mama's hoofd? Brokkelden haar hersens en gedachten langzaam af?
Zou kunnen.
Zou best kunnen.
Gelukkig glimlachte mama, gebaarde met haar hand dat ik dichterbij moest komen.
Het leek een scène uit een film, het moment van het afscheid. Met tegenzin deed ik wat ze vroeg, bang om haar laatste adem op mijn wang te voelen.
'Voor jou, Thor, jij bent de kleinste,' fluisterde mama. 'Gebruik het als je een droom wil vangen. Zeg het tegen niemand.'
In de sok knisperde iets. Twee briefjes van twintig euro. Ruim te weinig om er dromen of wat dan ook mee

te vangen. Maar genoeg om te ontsnappen als het nodig was; een treinkaartje, de bus, eten voor onderweg, zoiets. Dat bedoelde mama, ze wist toen al dat de boel zou ontsporen zonder haar.
Ik begreep mama en ik begreep haar niet. Waar moest ik heen, waar dacht zij dat ik terecht kon?
Welke bus moest ik nemen, die naar nergens?
Ik verstopte de sok achter de kast.

Mijn beste broers

De foto dus.
De tweede van links, de jongen die naast mijn vader staat. Die met zijn gevouwen armen en scheve neus. Achttien jaar op het moment dat de foto gemaakt werd.
Sigurd.
Naar een Noorse god die een draak versloeg, jawel.
(We hebben allemaal godennamen. Ik denk dat pa zich daardoor wat belangrijker voelde. Hij vergist zich.)
Sigurd is de oudste en met voorsprong de lelijkste. Niemand die dat tegenspreekt. Sigurd zelf ook niet. Niet dat wij zulke knapperds zijn, maar naast Sigurd zien we er erg toonbaar uit. Het komt vooral door zijn litteken.
Sigurd viel van de trap toen hij bijna drie was. Hij hield er een behoorlijke jaap in zijn gezicht aan over en sindsdien staat zijn neus ook scheef.
Pas als je uitgekeken bent op zijn lelijk smoelwerk, zie je dat de rest ook niet klopt. Beter kan ik het niet omschrijven. Vaak kijken mensen twee, drie keer.
Ze kijken omdat ze het niet snappen. Wat is dat met die kerel?
Hij lijkt te groot en te klein tegelijk. Iemand uit een tekenfilm. Zo eentje die net van een flatgebouw donderde of geplet werd onder een vrachtwagen. Met

Tom of Pluto of Dagobert komt het meestal goed. Met Sigurd niet. Hij blijft voor altijd en eeuwig zijn gedeukte zelf. Op zijn manier is mijn oudste broer erg slim, denk ik. Hij praat weinig, bemoeit zich met bijna niets. Je weet nooit wat je aan hem hebt. Sigurd heeft een slecht betaald baantje in een tuincentrum. Elke ochtend gaat hij planten verpotten en perkjes harken. Na de middag volgt hij een opleiding. Sigurd wil in een garage werken. Zijn weekends vult hij nu al met gepruts aan de auto's van zijn vrienden.

Als iemand voor een documentaire, artikel of boek een schoolvoorbeeld van 'een slechte vriend' zoekt, mag hij mij bellen. Ik heb er eentje in de aanbieding. Mijn broer Ajax. De jongen die op de foto in het midden staat, een halve voet voor de rest van ons gezinnetje. Een beetje als een popster. Iets voorovergebogen, een slome grijns, zonlicht op zijn oorbel. Ajax, dus. Zoals de voetbalclub en naar een of andere vechtende Griekse god. Hij heeft de belachelijkste naam van ons drieën. Hoe je Ajax ook uitspreekt, het blijft klinken als een wasmiddel.
Zo proper en netjes is Ajax anders niet. Op geen enkele manier.
Over een maand of drie wordt Ajax achttien. Hij beloofde om dan te vertrekken. Om alleen te gaan wonen. Dat zou geweldig mooi zijn. Een stuk minder gedoe, minder louche types in de woonkamer, minder politie aan de deur, minder ruzie. Waarschijnlijk betekent alleen wonen in Ajax' geval dat hij in een cel ver-

dwijnt. Ik zal met alle plezier de sleutel weggooien. Zeker na gisteren. Toen hij met drie van zijn maatjes mijn fiets sloopte. Zomaar, voor de lol. Geen nieuwe fiets, uiteraard, maar ik had er twee dagen aan gesleuteld. En 's avonds deed ettertje Ajax nog meer zijn best.
Ik had verteld dat ik een cursus wilde volgen: diepzeeduiken. En dat ik het geld zou terugbetalen. Beloofd.
Ajax lachte me vierkant uit, deed of ik om een cursus onderwaterballet had gevraagd. Hij maakte gemene grappen, zei dat ik maar diep moest duiken in het bad of het toilet. Sigurd mompelde iets over geld en normale hobby's. Ik begreep de boodschap.
Vergeet het maar.
Geef het op.

Dromen van de zee

Soms valt de wereld op je kop. Anders kan ik het begin van mijn duikwens niet omschrijven.
Het begon met regen. Ruim een jaar geleden, een dinsdag was het. Twee dagen later ging mama naar de dokter. Ik heb haar nooit verteld over de natte gekte in mijn hoofd. Al had ze het misschien wel door. Wilde ze daarom plotseling zo graag naar zee, speciaal voor mij. Ze beweerde dat ze de zee nog nooit gezien had. En dat ze al dat water één keer wilde zien, voor ze zou sterven.
Enkele weken voor ze stierf probeerden we om die wens in vervulling te laten gaan. Het is mislukt toen, grandioos mislukt, zelfs een uitstapje naar zee kregen wij niet voor mekaar. De spijt droop van mama's gezicht. Ze huilde niet, maar in haar blik las ik de teleurstelling. Ze keek naar me, terwijl de meest trieste glimlach ter wereld om haar lippen speelde.

Ik heb mama nooit verteld over mijn duikdroom, mijn onderwaterwens, omdat ik het niet kon. Het duurde maanden en maanden voor ik het wauw-gevoel in mijn kop onder woorden kreeg. En nog een paar maanden extra voor ik het aan mijn broers durfde te zeggen. Dat was meteen een vergissing van je welste.
Hoe dan ook, het begon vlak na school, toen ik naar huis fietste. Na amper vijfhonderd meter scheurde de

hemel open. Een hoosbui, dikke, ratelende druppels, een gordijn van nattigheid. In anderhalve seconde was ik doornat. Ik sprong van mijn fiets, holde naar de dichtstbijzijnde droge plek. De bibliotheek.
Een vrouw keek meewarig naar mijn dunne jasje. Ze zei dat het gelukkig niet al te koud was. En dat nat meestal weer droog werd. Ze gaf me een handdoek en een droog koekje.
'Wacht maar tot het opklaart,' zei ze. 'Al kan dat nog een poosje duren.' Met haar kin wees ze naar het grijs buiten. De regen die tegen de hoge ramen roffelde.
'Of verwacht je moeder je? Wordt ze misschien ongerust als ...'
'Nee,' zei ik snel.
Ze zoog haar lip naar binnen, glimlachte. 'Daarginds staan de kinderboeken. Hoe oud ben je?'
'Ik word elf.'
'Dat rek daar,' zei ze.

Ik vergiste me. Sloeg één rek te vroeg naar links. Informatieve boeken over bomen, apen, de jungle, mensen, sierplanten ...
Ik draaide me al om, toen mijn oog op de rode koraalduivel viel. Al wist ik op dat moment niet dat het vreemde beest zo heette. Het was een dik boek met op de voorkant een vis. Een vis met uitwaaierende vinnen en stekels. Roodachtig met witte strepen en vlekken. Ik glimlachte en dacht aan carnaval. Maar dan vrolijker.
Ik nam het boek mee naar een van de tafeltjes achter-

aan in de bibliotheek. *Geheimen van de zee* heet het. Gedrukt in Rotterdam, in 2001. Er staan 183 foto's van vissen in. Van een school sardientjes tot een zijdehaai. Veelkleurige zeesterren en doorzichtige kwallen.
Een uur later tikte de vrouw me op de schouder. 'Het regent niet meer,' glimlachte ze. 'En we gaan sluiten.'
Ik mocht het boek lenen, als ik wilde. Daarvoor was het trouwens een bibliotheek. En het kostte me niks. Kinderen konden gratis lid worden.
Dat is het vervelende aan weinig geld hebben. Mensen ruiken dat soms. Beginnen ze meteen over gratis en dat soort dingen. Zoals je broodkruimels aan de eenden geeft. Kwak kwak.
Ik zei dat het niet hoefde en maakte me uit de voeten. Wat moest ik thuis met zo'n boek? Het voortdurend verstoppen voor Ajax? Als die het in zijn poten kreeg … Ik kon me duizend dingen voorstellen die mijn broer zou uitvreten met zo'n prachtig boek. Van verpatsen tot het bij wijze van grap in bad gooien. Zwemmen papieren visjes ook?
Maar gewoon lezen en naar de foto's kijken. Nee.

God van de donder

Terug naar de foto. Als laatste de jongen die naast mama staat. Die met zijn te lange armen en sluike haar. Die met zijn groengrijze ogen, maar dat zie je niet op de foto.
Ik dus. Die kras op mijn wang is ondertussen genezen. En sindsdien ben ik tien centimeter gegroeid.
In de loop van het voorbije schooljaar ben ik de grootste van de klas geworden. Van plaats 4 naar nummer 1. Gek eigenlijk, hoe groter ik word, hoe minder ze me zien staan. Dat zou een haai niet overkomen.
Ik denk niet dat er iemand me een prettige vakantie heeft gewenst. Dat hoeft ook niet zo nodig. Ik ken mezelf goed genoeg. Ik weet best dat ik bepaald niet de liefste jongen van de wereld ben.
Alleen mama dacht daar soms anders over. 'Mijn dromer,' zei ze dan. 'Kom eens hier, mijn kleine, grote man.'
Mooi niet natuurlijk.
Ik zwijg graag en heb weinig geduld. En als het moet, sla ik erop los. Vorig schooljaar heb ik vier keer gevochten. Op school, bedoel ik. Drie keer gewonnen, één keer flink op mijn bek gehad. Van Jimmy, een van Ajax' jongste vriendjes.
Hij zit een klas hoger, maar is twee jaar ouder. Ik weet niet meer waarom we vochten. Als ik alle ruzies, tikken, plaagstoten, knokpartijen en alles wat daarop

lijkt moet onthouden! Daar is mijn hoofd veel te klein voor.
Het is er bij ons thuis niet beter op geworden, sinds pa vertrok. Op pa kon je nog rekenen. Ik wist precies wanneer hij link werd. Na een glas of acht. Als hij zijn schouders optrok en met een sissende s ging praten.
'Jongen, kom eensssss hier. Of ik ssssssla je verrot, Thor.'
Thor.
Naar de god van de donder, ja. Leerkrachten denken soms dat ik een grap maak. Was dat maar zo. Mijn klasgenoten laten vaak de h weg. Het is de kortste weg tussen een god en een insect.
Denk overigens vooral niet dat pa zo'n bolleboos was die alles wist over Noorse, Griekse en andere goden. Integendeel. Hij haalde die namen uit een dun boekje dat nu op zolder ligt: Het Goden-ABC. Mama dacht dat het van de bibliotheek was – maar nooit teruggegeven. Pa meende dat hij het gevonden had in een oude reistas die verderop tussen de dennen lag.
Hoe dan ook. Als ik er oud genoeg voor ben, laat ik mijn naam veranderen. In iets gewoons als Dirk of Bert. Thor was de god die met zijn span door de hemel denderde. Hij vocht met een hamer die altijd doel trof. Kladats kladoem.
Pa had beter moeten weten. Hij had beter namen kunnen kiezen van goden die maar wat aan sukkelen, mislukkelingen, de afdankertjes.
Iets als Sisyphus bijvoorbeeld. Die dankt zijn roem aan een steen. Aan een rotsblok dat hij voor straf tel-

kens weer een heuvel moest oprollen. Die straf kreeg Sisyphus na een ruzie met Zeus, de Grote Baas in godenland. Telkens als Sisyphus bijna aan de top van de heuvel is, begeven zijn krachten het. De steen rolt naar beneden en hij kan opnieuw beginnen. Dag in, dag uit.
Zo'n soort god past beter bij mij. Ik weet hoe die Sisyphus zich voelt. Helemaal sinds ma dood is. Dagen als zware stenen. Elke ochtend opnieuw. Een onzichtbaar rotsblok waarmee ik de dag moet doorkomen: Ajax en Sigurd ontwijken, geen moeilijkheden krijgen met wie dan ook, de verveling verdrijven.

Ik kan me mijn laatste lach niet herinneren. Een echte lach, bedoel ik. Glimlachjes en grijnzen tel ik niet mee. Ik heb een blad waarop ik een streepje trek voor elke dag zonder grinniken of giechelen of bulderen. Misschien haal ik het wereldrecord.

Van: Evelien
Aan: Thor
Onderwerp: opgepast

Hoi Thor,

Even, voor alle zekerheid.
Je wéét toch dat je altijd met zijn tweeën moet duiken.

Wees dus voorzichtig.
Kijk uit je doppen.
Veiligheid eerst.

Je moet echt lessen volgen voor je onder water gaat.
Is er bij jou in het dorp geen duikclub?

Op het internet vind je anders vast wel een club in je buurt.

Liefs

Evelien

Jeuk aan mijn kieuwen

Ik hou van de kleuren, het licht dat er anders is. Van de grappige namen en de vreemde vormen. Van de koralen in duizend kleuren, van de zeesterren, het wier, de gedrochten die over de bodem scharrelen. Een andere wereld. In mijn hoofd is het allemaal maar één duik ver.

Prachtig. Ik vind het ontzettend mooi. Ook al ken ik die wondere wereld alleen van foto's en films. En heb ik dus geen enkele goede reden voor die natte gekte in mijn hersens. Misschien heb ik geen hersens, zit er alleen een soort spons in mijn kop. Is het daardoor vanzelfsprekend dat ik op water val.

Maar het hoeft ook niet, zo'n goede reden. Dat wist mama al. Soms plukte ze bloemen. Langs de kant van de weg, de groene berm langs het kanaal. Duizendblad, kamille, papavers, paardebloemen. Kleine boeketjes in lege flessen. Wolkjes kleur in huis. En pa die zich daar telkens aan ergerde. Uit gewoonte, omdat hij nu eenmaal in azijn gedrenkte hersens had.

'Waar isssss dat goed voor? Al die rotzzzooi in huis. Flauwekul toch allemaal,' lalde hij.

Mama zweeg, zorgde ervoor dat hij de flessen niet van tafel maaide. 'Ik vind het mooi,' vertrouwde ze me dan later met een lachje toe. 'Iets wat mooi is, hoef je niet uit te leggen, toch?'

Sinds die plensbui duik ik zowat eens per week de bi-

bliotheek in. De vrouw van de bieb kent me al. Als er weinig klanten zijn, krijg ik soms een koekje. Beetje kinderachtig, maar het zijn lekkere koekjes. Met chocolade.
Steeds aan datzelfde tafeltje, als een halve idioot door één van de twee boeken bladeren.
Ik mompel de namen, ga met mijn vinger langs de vinnen en vissenlijven. Ik kan er niks aan doen.
Geheimen van de zee, blijft mijn favoriete boek. Veruit de mooiste foto's. Als ik er lang genoeg naar kijk, voel ik het kriebelen in mijn hals. Links en rechts, vlak onder mijn kaak. Kieuwenjeuk, noem ik het. Zin om weg te zwemmen. Ik denk dat er onder water duizend plekken bestaan waar ik gelukkig kan zijn.
Het andere boek heet simpelweg *De Vis*. Het is dertig jaar oud en het is gedrukt in Gent. Het is minder een kijk-, en meer een weetboek. Met foto's maar ook tekeningen. En een lang, saai hoofdstuk over zoetwatervissen. Vergeleken met hun soortgenoten uit zeeën en oceanen zien ze er meestal duf uit. Ik lees liever over witte haaien en scheepswrakken en de monsters van de diepzee.

Ik vind de boeken prettiger dan het internet. De vrouw van de bieb, Irene heet ze, vertelde me dat daar nog meer vis te vangen was. Een grapje. Blijkbaar begreep ze dat mijn visgekte niet meer te stoppen was. Ik sta er trouwens zelf verbaasd naar te kijken. Nooit eerder een hobby gehad, geen interesse voor gedoe

met postzegels, boeken of een gitaar.
Op mijn achtste was ik twee maanden lid van de plaatselijke voetbalclub, F.C. Havelen. Ik vond het niks. Allemaal samen achter een bal hollen.
En dan allemaal samen douchen en allemaal samen een cola drinken.

Aan mijn voetbalcarrière kwam een einde, toen pa onze auto tegen een lantaarnpaal parkeerde. Op de weg terug na een training.
Oktober was het. Gelukkig zat ik achterin. De auto slipte, glipte als het ware uit pa's handen. Beng! Tegen een lantaarnpaal.
Pa bloedde een beetje uit een snee op zijn voorhoofd. Grommend veegde hij de glasscherven van zijn schoot.
'Alles oké?' vroeg hij over zijn schouder.
Ik knikte terwijl ik met mijn schouders draaide. Een beetje ademloos, maar nergens een bloedende wond. Een hart op drift, maar geen gebroken botten.
'Ja hoor,' zei ik. Ik begreep dat het een slecht moment was om te huilen.
Pa die met gebalde vuisten om de auto heen liep. Om de zoveel meter een woeste deuk in het metaal trapte. Onze kar was reddeloos verloren.
Daar had je geen dokter voor nodig.
Scheve wielen, gebarsten glas, een diepe vouw in het voorportier, de motorkap die niet meer open kon. Nog meer deuken.
We lieten de auto achter. Moesten te voet naar huis.

Toen we de volgende ochtend op verkenning gingen, was de kar verdwenen. Weggesleept of gestolen door een handelaar in oud ijzer.
Niemand vond het erg dat mijn sporttas nog op de achterbank lag.

Een trage verbinding

Hadden we maar een computer. Eentje die werkt, bedoel ik. Ajax had een tijdje een spelcomputer op zijn kamer. Een splinternieuw ding waar ik zelfs niet naar mocht kijken. Ik zou er toch weinig aan hebben voor de computerlessen op school. Ik ben de enige van onze klas die zijn opstellen nog met de hand schrijft. In dat kriebelschrift van me. Net of ik inkt wil sparen, zegt de meester altijd.
Als we een computer hadden en een internetverbinding, kon ik nu een beetje surfen. Maar nee, ik zit op de vensterbank te koekeloeren, er is geen ontsnappen mogelijk. De bibliotheek gaat vandaag pas om zes uur open. En 's avonds kun je er sowieso niet rustig surfen. Te veel kandidaten voor één computer. Ik vind het niks als er mensen ongeduldig over mijn schouder staan te loeren.
Er zit veel vis op het net, echt een heleboel sites over dat onderwerp. Het grootste deel gaat over huiskamervissen. Aquariums bedoel ik, saaie vissen in glazen bakjes.
Irene zocht een chatbox voor me waar het over duiken en vissen ging. Je weet maar nooit, zei ze.
Chatten vind ik niks. Het lukt me niet om zinnen uit mijn vingers te wringen. Ik ben te langzaam, krijg de woorden in mijn hoofd niet snel genoeg op het scherm.

Met Evelien heb ik tweemaal gechat.
Nemo, noemde ze zichzelf in de chatbox. Nemo, zoals die Disney-vis. Zou ik zelf nooit gebruiken, zo'n belachelijke naam. Ik noemde mezelf gewoon Thór. Evelien dacht eerst dat dat ook een nepnaam was.
Ach.

De eerste chat was een mislukking en de tweede keer werd het een ramp.
Ik zat warempel te blozen achter de computer. Bakte er helemaal niks van.
Het duurde een uur voordat ik een antwoord verzonnen kreeg. En nog een uur voor ik dat antwoord op het scherm kreeg. Zo slecht ben ik anders niet met computers.
Het was net zo'n schaamgesprek op de speelplaats of in de bus. Met iemand die je niet of nauwelijks kent. Zo'n gesprek waar je van de ene stilte in de andere struikelt.
Stomme vragen, stuntelen, blozen, peuterantwoorden. Gezellig!
Na de tweede chat raadde Evelien me aan om voortaan mailtjes te sturen. Dat leek haar een stuk handiger. Omdat ik een trage verbinding had, grapte ze.
Haha.
Al mijn vragen over diepzeeduiken mocht ik blijven stellen. Evelien beloofde te antwoorden. Sindsdien mailen we.
Ik wip van de vensterbank, strek mijn stramme benen. Het is al vijf uur. Soms nemen mijn gedachten hele

brokken tijd mee. Een hoofd vol vis. Misschien word ik langzaam kierewiet.
Sigurd komt over anderhalf uur thuis. Hij heeft beloofd om pizza's mee te brengen.
We eten ongeveer vijf keer per week pizza. De allergoedkoopste pizza's die je maar kunt vinden. Een laagje karton met opstaande randen en een plasje tomatensaus. Als je er véél kaas overheen strooit zijn ze te eten.
Dankzij die pizza's groeit de stapel afwas niet abnormaal hard. De regel is dat we pas afwassen als er schimmel op de borden staat.
Ik moet naar buiten, lucht in mijn hersens laten. Een lange wandeling maken. Met een beetje geluk komt Ajax ondertussen thuis en is hij ook alweer pleite tegen de tijd dat ik terug ben.
Langs de achterdeur naar buiten. Grijze wolken van hier tot in Denemarken, zei de weerman. Het is warm zat, zomers genoeg, maar het ziet eruit als herfst.

Er rijdt net een auto weg. Een jeep. Ik wuif breed glimlachend naar de bestuurster. Een blond mens met een zonnebril.
Stort u maar, hoor.
Een schichtige blik, dan draait ze haar hoofd weg, laat de motor loeien. Wedden dat ze aan de andere kant van Havelen woont. In een van die villa's met zwembad. Dat ze maar in haar eigen buurt stort! Plaats genoeg.
Vreemd. Hoe beschaamd en betrapt en belachelijk

storters soms ook reageren. Het gebeurt nooit dat ze rechtsomkeert maken en hun rotzooi opruimen.
De jeep is de rode versie van die van meneer Daels. Hij is de baas van de supermarkt hier in Havelen. Een mollige kerel met kwabbelwangen, zweethandjes en een kille blik. De man aan wie ik voor de eerste en enige keer in mijn leven om een baantje ging vragen. Eergisteren was dat.
Tegen sluitingstijd slofte ik de winkel in.
'Ja?' zei meneer Daels luider dan nodig. Hij zat in een kantoor met glazen wanden links van de kassa's. Een waakhond.
Verschillende klanten en de meisjes aan de kassa keken mijn richting uit.
'Ja?' herhaalde hij.
'Een baantje,' mompelde ik en wist meteen dat het niks zou worden. Ik vervloekte mezelf, waarom was ik niet thuisgebleven? Zo ging het toch altijd!
'Een baantje, zozo, heb je geld nodig soms?' grijnsde hij.
Ik haalde mijn schouders op, knikte. 'Ja.'
'Waarom?' Het klonk of hij een nummertje opvoerde, speciaal voor zijn beste klanten.
'Uh zomaar,' zei ik. 'Ik spaar voor iets.' Waar bemoeide die kerel zich mee? Of ik nu spaarde voor duikmateriaal of roze sandalen, toch zijn zaak niet!
'Wat kun je zoal?' gooide hij het over een andere boeg. Er klopte iets niet aan zijn toontje.
'Spullen in de rekken zetten, poetsen, dat soort dingen, zegt u maar wat ...'

'Woon je in de Vlinderstraat, twee broers, eentje met halflang haar?'
Ik zweeg.
'Vorige week heb ik die met zijn lange haar gevloerd. Daarzo, vlak bij de uitgang. Jouw broer dacht mij te slim af te zijn, onder zijn trui zes cd's en twee repen chocolade. Hij komt er bij mij niet meer in!'
Ik draaide me om en slofte naar de uitgang.

Pakweg een koraalvlinder. Daar zou ik best mee willen ruilen. Het zou mooi zijn, als dat zou kunnen. Dat je twee, misschien drie keer in je leven mocht wisselen. Iedereen. Vogels die het vliegen beu waren, konden een tijdje als konijn door het leven huppelen. Koeien konden het lome grazen opgeven en pakweg een poes worden. Ik zou al erg tevreden zijn, als ik een poosje in het lijf van een gele koraalvlinder mocht wonen. Geen heel kleine vis, maar ook geen grote. Niet spuuglelijk, maar ook niet te kleurrijk. Wat dobberen, van het koraal snoepen, geen drukte maken, blij zijn met mezelf.

Van : Evelien
Aan: T.
Onderwerp: plons

Dag Thor,

Een zomaar-mailtje. Eentje zonder dat jij eerst een

vraag stelde of over jezelf vertelde.
Het is, omdat ik je iets moet bekennen: ik denk vaak aan je.
Je mailtjes zijn zo triest, je vertelt zulke droeve dingen.

(nu even niet boos worden)
Ik heb met mama en papa over jou gepraat.
Zij denken dat je een beetje liegt.
Dat jij misschien in een instelling woont.
En dat je daarom nooit iets zegt over je ouders.

Ik weet eigenlijk niet waarom ik dit schrijf.
Zomaar, denk ik.
Je hoeft niet te liegen tegen me.

Veel groetjes

Evelien

P.S. Als je wilt, mag je hier eens komen spelen.

Oefen in een emmer met water

Een instelling. Dat woord is de voorbije maanden al verschillende keren gevallen. Soms luid, als mijn broers het gebruiken als dreigement. Vooral Ajax denkt dat hij me met een vingerknip naar een instelling kan sturen. Hij denkt zeker dat ik compleet achterlijk ben.
Op school hoorde ik het woord fluisteren. De ene leerkracht tegen de andere. Of het niet beter voor me zou zijn. Dat is niet eens onmogelijk. Slechter kan immers niet.
Ik weet hoe mooi ik in het plaatje pas. Moeder dood, vader pleite, een krot, dolgedraaide broers. Geen betere kandidaten voor een instelling dan ik.
Stop. Sto-ooop!
Het laatste wat ik wil is medelijden. Dat is nog erger dan uitlachen.
Stop.

Ik krijg er hoofdpijn van. Van dat eenzame gepieker. Sigurd beweert dat het door mijn gepieker komt dat ik weinig vrienden heb. Géén vrienden, bedoelde hij. Het kan ook andersom zijn, volgens mij. Dat je gaat piekeren, als je alleen jezelf hebt.
Ach.
Nonsens allemaal.
De wind zit in de bomen. Het klinkt als ademen of als

een snelweg. Hangt ervan af hoe je luistert.
Ik wacht een minuut of wat bij de hoge poort. De wandeling naar hier kan ik me al niet meer herinneren. Poe, het gaat echt niet goed met me.
Een zware ketting en een hangslot houden de twee helften van de poort samen. Die ketting is nauwelijks een jaar oud. Tot vorig jaar stond de poort dag en nacht open. Kon wie dat wilde een plons maken in het koude water van de groeve. 's Avonds of in het weekend. Klinkt vreemd natuurlijk. Zwemmen in een zandgroeve. Maar zo is het nu eenmaal. Een diepe put met water erin. De put is gegraven door kranen en joekels van bulldozers. Het water kwam er vanzelf. Het is een vierkante plas met randen van gelig zand. Elke kant ongeveer tweehonderd meter lang.
Ajax beweert dat het water op sommige plekken wel vijftien meter diep is.

Ik gooi het plastic zakje over de poort. Eerste keer dat ik dit alleen doe. Soms kom ik hier met Sigurd. Gewoon in het zand zitten en naar de eenden kijken.
Mijn handen klemmen om de stalen buizen, drie-twee-één! Nu mezelf optrekken, mijn voeten op de scharnieren zetten, doorduwen.
Op warme dagen controleert de politie hier af en toe. Nog zoiets wat nauwelijks een jaar oud is. Vorig jaar verdronk er een meisje in de zandgroeve. Veertien jaar was ze, het nichtje van de burgemeester. Volgens de verhalen werd ze 'gepakt' door een draaikolk. Een draaiende arm van water die je nooit meer loslaat.

Er kwamen bordjes met ‘verboden te zwemmen,’ een poort, en de politie die een oogje in het zeil hield. Om mama’s dood werd zo veel poespas niet gemaakt.

Mijn veters heb ik aan elkaar gebonden, mijn schoenen hangen als trofeeën om mijn hals. Het zand glipt tussen mijn tenen, een zachte bries speelt met mijn T-shirt en schouders.
Een verlaten strand van een onbewoond eiland. Maar alleen als ik mijn linkeroog dichtknijp of mijn hoofd draai. De roestige kraan en de vrachtwagen zonder wielen passen immers niet in het plaatje. Ik blijf rechts van het grindpand, banjer naar het oudste deel van de zandgroeve.
Je zit er uit de wind en uit het zicht. Achter een met onkruid en gelig gras begroeide heuvel. Er dobberen wat eenden op het water. Een vis schiet weg naar de bodem. Een karper was dat, denk ik. Volgens Sigurd zit er behoorlijk wat vis in de plas. Dankzij de eenden. Die brachten visseneieren mee uit andere vijvers en meren.
Volgens Ajax zit er ook een tiental schildpadden in en om de vijver. Van die bijtgrage beesten, gedumpt door hun baasjes. Ze werden te groot voor het aquarium.
‘Ga terug,’ zegt een stemmetje in mijn hoofd.
‘Gebruik je koppie.
Oefen eerst in een zwembad.
Of in een emmer met water.’
Ik plof in het zand. Knoop voor de zoveelste keer het plastic zakje los. Een godsgeschenk? Ik weet bijna ze-

ker dat de vrouw in de jeep het achterliet. Net als de oude magnetron die iets verder lag. Spullen die er nog maar pas liggen, verraden zichzelf. Ze liggen onwennig in het gras tussen de andere rommel. Nog niet gewend aan het idee dat ze rotzooi werden. Het ene moment lekker knus in de keuken en het volgende als oud ijzer tussen de dennen. Het leven kan hard zijn.
Net zo onverwacht als zonlicht soms door wolken breekt, duikt Evelien op in mijn hoofd. Ik mail haar wel vier, vijf keer per week. Ze antwoordt niet zo vaak. Net genoeg.
Ik vertel haar de laatste tijd soms dingen, over mezelf, over mama, over alles wat er in mijn hoofd woont. Dat hele ellendige zootje. Ik weet niet waarom ik dat doe.
Omdat ze luistert?
Omdat mijn hoofd anders ontploft?
Ik moet haar laatste mail nog beantwoorden. Zeggen van spijtig maar helaas. Ik doe het niet. Een leuk idee natuurlijk. Lief. Maar ik krijg nooit 300 euro bij elkaar.

Van: Evelien
Aan: Thor
Onderwerp: duik

Hoi Thor,

Jij wordt langzaam maar zeker een belangrijk onder-

werp bij ons thuis. Gisteravond nog. Ik liet je laatste mailtje aan mama lezen. Waarin je vertelde over je papa.
Mama huilde bijna.

En vanmorgen gaf papa me een foldertje. Ik heb er een scan van gemaakt (zie bijlage).
Het gaat over dat duikkamp aan de Franse kust. In augustus. Ik volg er de cursus voor gevorderden, weet je nog!?
Maar jij kunt je ook nog inschrijven, de cursus voor beginners. Schijnt heel leuk te zijn. En dan ken je daar alvast iemand: mij.

En!!!!! papa wil de helft van het inschrijvingsgeld betalen. Dat scheelt toch al een heel stuk. Je hebt dan nog 300 euro nodig.
Misschien kun je bij iemand geld lenen?
Of een baantje zoeken?
(Ik poets soms auto's)

Laat me snel iets weten.

Plonsplons

Evelien

Een grijze vis

Het glas van de duikbril zit vol krassen, de rubberen rand voelt stug aan. Moeilijk te zeggen hoe oud de bril is. Of waar de krassen vandaan komen. Van jarenlang liggen in een speelgoedkist? Van een botsing met een brok koraal of met de bodem van een zwembad?
De zwarte zwemvliezen lijken me in perfecte staat. Ze zijn me ongeveer één maat te groot. Ik heb grote voeten. Het kan dus dat ze van de vrouw waren. Kreeg ze nieuwe? Is ze het duiken beu?
Het kan me niet schelen.
Alleen de snorkel is rijp voor het stort. Het mondstuk is gebarsten en in de plastic pijp zit een scheur.
T-shirt uit, broek uit, zwembroek aan. Als een buitenmaatse eend slof ik naar de waterrand. Het witgele zand zwiept omhoog. Ik weet dat er in de bieb ook een boek *Duiken voor beginners* is. Ik ken in feite alleen de kaft en de foto's. Van geluksvogels die onder het water waren.
Dom?
Kan snorkelen zo moeilijk zijn? Neuh.
Ik spoel de duikbril in het water. Brrrr. Een stuk kouder dan ik verwacht had. En alsof er op een teken werd gewacht, schuift er nu een wolk voor de zon.
Ik spuug op het glas, wrijf de spuug uit. Dat voorkomt dat het glas beslaat.

Ik zet de bril op mijn neus, de band klemt op mijn achterhoofd. Een lekker gevoel. Van mijn handen maak ik een kommetje, voorzichtig schep ik wat water, maak mijn borst nat.
Koud zeg. Het is toch juli?
Oké Thor. Niet te flauw.
Ik adem diep en plons het water in. Blijven zwemmen, blijven spartelen. Schoolslag, crawl, watertrappelen. Ik wring de bril van mijn neus, laat het water ontsnappen. Ik zag ineens niks meer. Een gordijntje van water voor mijn ogen.
Ik ploeter terug naar de oever en trek de band wat strakker. Het moet lukken!

Het makkelijke van dingen die moeilijk lijken. Op de foto's zweefden de mannen en vrouwen vlak onder het wateroppervlak. Soepel, trage slagen, mooi. Beelden uit een verre, onbereikbare wereld. Héél moeilijk, leek me.
Het kan natuurlijk dat ik talent heb. Dat dit het is waarvoor ik talent heb. Het spijt me dat ik het zonder kieuwen moet stellen. Dat ik om de halve minuut terug naar de oppervlakte moet. Met een hoofd dat op ontploffen staat. Het is prachtig onder water. Ook al zie ik er nauwelijks enkele meters ver. De gedachte telt ook. Mijn hart juicht. Door het water klieven, met krachtige slagen van mijn zwemvliesvoeten. Heerlijk. Af en toe krijgt het water koude vingers. Dan voel ik slierten véél kouder water naar mijn enkels of borst grijpen.

Dat is het water uit de diepte, weet ik. Heerlijk.
De zandbodem lijkt op die van een zwembad. Geen planten. Als het water onder me te zwart wordt, keer ik terug naar het oppervlak. Ik hap naar lucht, zwem een paar slagen richting oever.
'Yeah,' roep ik. Mijn kreet echoot over het water. Het is lang geleden dat ik me zo sterk voelde. Of ik precies ben waar ik behoor te zijn. Jaja, dit is de Rode Zee niet en diepzeeduiken is nog iets heel anders.
Maar waar moeten sukkels als ik anders beginnen?
Zeur niet zo.
Nu mijn longen vol lucht zuigen, deze keer wil ik de bodem raken. Op deze plek minstens een meter of vier het diepe in.
Ik rol door het water, strek mijn armen. Hé. Was dat een vis? Naar links draaien, wat lucht laten ontsnappen. Was dat … jaaaaah. Daar, schuin onder me, rechts van die grijzige vlek onder me. Een weet-ik-veel-wat. Misschien een baars. Een centimeter of dertig lang. Zo grijs als je maar kunt verzinnen. Maar een vis. Een zonder twijfel echte vis. Het beest glipt naar rechts, ik volg, rustig, klap zachtjes met mijn zwemvliezen. Nogmaals rechts, waar is hij nu gebleven, daar. Een bocht naar links, vlak over de bodem scheren, dit is meer dan ik …

Ik weet niet waarom ik plots naar lucht hap, stom, een mond vol water, kokhalzen, grijs water dat in mijn bril glipt, hoesten, water in mijn neus. Een rilling trekt door mijn borst. Geen paniek! Aan mama denken.

Naar boven moet ik, snel, met mijn voeten flapperen. Koude vingers. Rustig, ik zal … Waar is boven, hoe vind ik de zon? Mijn longen ontploffen. Wat is die zwarte vlek in mijn bril? Hoofdpijn, mijn oren, ik moet … Iets legt zachtjes een laagje over mijn angst. Als verdoofd spreid ik mijn armen, geef me aan het water. Het is goed zo.

De hersens van een goudvis

'Je hebt geluk gehad,' zeiden ze. 'Werkelijk ontzettend veel geluk.'
Meer dan ik verdiende. Reken maar van yes.
Hoe kon ik zo stom zijn? Waarom stond dat hek er? Dacht ik dat ik een vis was? Of dat je een vis werd als je maar lang genoeg naar vissenplaatjes staarde. Ja, ze hadden die dingen gevonden. Zouden we het later nog over hebben. 12 euro 50. En dat dertien keer. Mijn hersens waren alvast net zo groot als die van een goudvis.
En waar had ik die duikbril gehaald? Niet gekocht mochten ze hopen. En als ik toch absoluut wilde verzuipen, dan liefst ergens ver weg. Waar zij er geen gedonder mee kregen.
'Ga fietsen, Thor.
Pluk het onkruid voor mijn part.
Weet je wel wat een begrafenis kost?'
(Ja, dat wist ik.)
'Hopelijk heb je je lesje geleerd, is dat idiote idee uit je hoofd gespoeld. Je staat overigens aardig bij ons in het krijt, broertje.'
Mijn broers, Ajax voorop, bleven razen tot een zuster hen naar buiten stuurde. Ze bedoelden het vast goed, glimlachte ze ongemakkelijk. Ze zijn vast erg geschrokken. Ik zei niks. Met een familie als de mijne kun je beter dood zijn.

Of overdrijf ik? Ajax en Sigurd hebben me tenslotte naar het ziekenhuis gebracht.
'Je hebt je leven aan ons te danken,' zei Ajax. 'Een minuut later en je was pierenvoer geweest.'
Ik knikte. Moest ik dankbaar zijn of me schuldig voelen. Of allebei?
'Aan ons te danken,' herhaalde Ajax. 'Jij Jouw Leven.' Of het om een cadeautje ging. Mijn leven. Fraai geschenk was dat.
Gelukkig herinnerde ik me de grijze vis. Ik klampte me vast aan die herinnering, aan het grijze beest. Hij hielp me door het zeuren van mijn broers en die ene lange dag in het ziekenhuis. Om precies te zijn: een avond, een nacht, een dag, nog een nacht. En straks mag ik naar huis. Rond een uur of twee. Sigurd liet geld achter voor de bus.
Ik vind het trouwens nogal overdreven. Waarom ik hier zolang moet blijven. Ik leef, is dat niet ruim voldoende? Een van de zusters zei dat ze me graag een week hier zou houden. Me laten aansterken. 'Eet jij wel genoeg, jongen?'
Op mijn nachtkastje ligt een foto. Uit de krant van vandaag geknipt. Ajax bracht hem vanmorgen mee. Met een stoere grijns op zijn smoel en een knipoog. 'Het is bijna waar,' grinnikte hij. 'Die journalisten geloven alles!'
Jongens redden kleine broer staat er in zwarte letters. Eronder, kleiner: *Nieuw drama voorkomen in onheilsplas*. Het is een foto van Sigurd en Ajax, met op de achtergrond het water van de zandgroeve. Zo'n foto

waar je spontaan 'gezocht' onder zou zetten. Sigurd, die strak in de lens loert, en Ajax met zijn scheve grijns.
Maar nee.
Er staat dat ze me net op tijd uit het water hebben gehaald. En dat ze me als de razende bliksem naar het ziekenhuis brachten. Op het nippertje. Een zucht of wat verwijderd van de dood.

Er klopt geen moer van dat krantenverhaal. Ik kwam eergisteren tot bewustzijn op het kille zand. In mijn eentje, de knullige versie van Robinson Crusoë. Het schemerde al. De kou was diep in mijn botten gedrongen. Het water likte aan mijn voeten.
Het duurde minuten voor ik in zithouding kwam.
Op handen en voeten heb ik naar mijn T-shirt gezocht.
Om de twee meter werd het zwart voor mijn ogen.
Ik weet echt niet hoe ik thuis ben gekomen. Of bijna thuis ben gekomen. Strompelend, pijn in mijn borst, een ongrijpbare leegte in mijn buik. Ik herinner me dat Sigurd er plots was. En dat hij een zacht grapje maakte en grote warme handen had.
En dat hij en Ajax later ruzieden in de keuken. Over wat ze met me moesten beginnen.
Ik zakte weg, sukkelde van het ene zwarte gat naar het andere. Een soort koude droom die eindigde toen ze me in de auto stopten. Naar het ziekenhuis brachten en voor een nieuwsgierige journalist een verhaal verzonnen. Met zichzelf in de hoofdrol. Mijn kop eraf als dat geen ideetje van de geniale Ajax was.

‘Met de bus?’ Irene schudt verbaasd haar hoofd.
‘Waarom niet?’ antwoord ik nogal bars. We staan op een meter of drie van de dubbele matglazen deur. Patiënten en bezoekers lopen af en aan.
Ik was op weg naar buiten, Irene spoedde zich naar binnen.
Ik vrees dat mijn laatste restje vriendelijkheid in het water achterbleef. Of in het ziekenhuisbed. Als een dief ben ik uit mijn kamer geglipt, zonder afscheid te nemen of de zusters te bedanken. In die dingen ben ik sowieso slecht.
‘En nu moet je met de bus naar huis?’ herhaalt Irene. ‘Na zo’n avontuur.’ Haar stem is zacht, een glimlach zweeft om haar lippen.
Ik haal onwillig mijn schouders op. ‘Ja.’
‘Zal ik je naar huis brengen?’
‘Moet u niet bij iemand op bezoek?’ Ik gebaar naar het cadeautje in haar hand.
‘Ooh, juist, voor jou,’ grinnikt ze. ‘stom van me.’
‘Voor mij?’
‘De krant,’ verklaart ze. ‘Ik wist meteen dat jij het was. Met je vissen en je duiken altijd. Bovendien lijk je sprekend op een van je broers en ...’
‘Liever niet,’ onderbreek ik haar. ‘Ik wil … met de bus naar huis, dat is heus geen probleem.’
Ze kijkt teleurgesteld, maar dringt niet aan.
‘Hopelijk houd je van chocolade.’ Ze stopt een cadeautje in mijn handen. ‘En er zit nog een briefje bij, met een telefoonnummer erop. Van een meisje dat vanmorgen belde, ze vroeg naar jou.’

‘Naar mij?’
Irene knikt. ‘Ze vroeg naar een jongen die Thor heet en die mailtjes stuurt vanuit onze bibliotheek en die waarschijnlijk vaak in duikboeken leest.’
‘Hmm,’ doe ik. ‘Bedankt. Ik zal binnenkort, morgen, of anders …’
Ze legt een hand op mijn schouder. ‘Morgen is de bibliotheek gesloten. En de hele volgende week ook. De muren krijgen een nieuw laagje verf, wist je dat niet meer?’
Ik schud mijn hoofd.
‘En we gaan alle boeken ordenen. Werk genoeg dus.’
‘Ja.’
‘Als je graag een centje bijverdient, alle hulp is welkom.’
Ik haal mijn schouders op. Wat heb ik aan extra geld als Ajax of Sigurd dat toch inpikken? Het klinkt trouwens niet eens als een echt baantje. Eerder of ik wat extra zakgeld zal krijgen.
‘Daar is je bus,’ wijst Irene.

Het witte blad

Een doosje zeevruchten is het. Chocolade in de vorm van schelpen, zeepaardjes, mosselen, zeesterren.
Ik ga op de achterste bank zitten en laat een kleine schelp van chocolade smelten op mijn tong. Zoetigheid in mijn mond en een hoofd vol sombere gedachten. Alle ellende die me te wachten staat.
Je kunt er donder op zeggen dat ik vanavond de volle laag krijg. Een foto in de krant of niet. Het verandert niks aan de rekening van het ziekenhuis. Hoeveel kost zo'n opname, betaal je een dokter per keer dat hij aan je bed verschijnt? Ik heb zelfs niet het begin van een idee. Het enige wat ik met zekerheid weet is dat we er geen geld voor hebben. Tenzij we nog meer schulden maken. En die boterham krijg ik op mijn bord, geen ontkomen aan.
In gedachten trek ik een streep door het duikkamp. Dat mag ik helemaal vergeten. Ajax en Sigurd zouden het nooit goedkeuren en waarschijnlijk elke cent die ik met een baantje verdien, opeisen.
De vakantie duurt nog negen weken. En alles wat ik heb, is een briefje met daarop het telefoonnummer van een meisje dat ik niet ken.
In mijn hoofd bewaar ik het beeld van die grijze vis uit de zandgroeve en van de duizend kleurrijke vissen die ik op foto's zag.

Mama zei vaak dat je met kleine dingen al een heel eind komt. Als je bijzondere momenten goed bewaart, dat je daar dan lang moed uit kunt putten. Als een kaars voor de avonden waarop we zonder elektriciteit zaten.
Mama was toen al zwaar ziek, leefde van herinneringen en kleine slokjes water.
Ik kan me die laatste lachjes zo voor de geest halen. Dat zachte, raspende geluid, de blik in haar ogen.
Ik stop een zeepaardje in mijn mond en druk op de rode knop boven mijn hoofd. De bus stopt.

Met houten vingers puzzel ik de snippers weer tot één geheel. Het is de barracuda, en ik weet wie de schaar in de foto heeft gezet. Typisch een welkomstgeschenk van Ajax: twee hoopjes snippers op de keukentafel en de foto van de trompetvis.
Was Ajax het knippen toen beu of maakte Sigurd er een eind aan? Af en toe doet Sigurd dat, Ajax terugfluiten als die het te bont maakt.
Af en toe. Lang niet genoeg om … Ik sta er helemaal alleen voor. Dat klinkt zielig, het voelt koud, ik probeer er zo weinig mogelijk aan te denken.
'Waar kijken jullie naar uit?' vroeg de meester enkele dagen voor de vakantie. 'Van welk stukje vakantie verwachten jullie het meest?'
We moesten het antwoord op een blad schrijven. Mijn pen stokte, minutenlang staarde ik naar het witte blad.
'Weet je het niet?' vroeg de meester.
Ik schudde mijn hoofd. Nee, ik wist het niet.

Kleine dingen

Nu weet ik het wel, wat ik van de vakantie verwacht. Omdat ik geen andere keuze heb.
Ik begreep plotseling, terwijl de snippers weer een vis werden, wat mama bedoelde.
Dat je met kleine dingen soms een heel eind komt.
Als je er moeite voor doet, tenminste. Mama zocht dingen uit waar ze een poosje mee verder kon. Een bosje bloemen, een verjaardag die ze niet zou vergeten, een bezoek aan een winkelcentrum. Iets wat ze alleen deed, zelfs ik mocht niet mee. Ze streepte die dag maanden van tevoren op de kalender aan.
Niemand hier snapte waarom ze het deed. Want ze had toch geen geld, het was toch niet het soort winkels waar mensen als wij winkelden?
Het interesseerde haar geen barst wat wij erover te zeuren hadden.
Ze zorgde ervoor dat er pizza's in huis waren, dat pa de avond tevoren dronken zijn bed in ging. Zodat hij lang sliep en zij in alle rust kon vertrekken.
's Avonds vertelde ze over die dag. De laatste jaren alleen aan mij, omdat de anderen niet wilden luisteren. Mij best. Ze vertelde over jurken en schoenen, de geurtjes die nog op haar polsen zaten, boeken waarin ze had gebladerd, muziek waar ze naar geluisterd had. Maar de meeste van haar woorden gingen over de mensen die ze op zo'n dag zag. Ze omschreef ze zoals

ik soms vissen beschrijf. Tenminste, zoals ik vissen en hun kleuren zou willen omschrijven. Mama vertelde: wapperende handen, pretlichtjes in haar ogen, een en al glimlach. Ze deed alsof ze een deftige vrouw op hoge hakken was, aapte een man na die een hotdog at, bestelde met een grappige kraakstem thee …
Op die ene keer naar zee had ze zich ontzettend verheugd. Al dat water, mensen op het strand, het af en aan rollen van de golven.

Het is half vier.
Zal ik dit tijdstip, deze dag in de keukentafel krassen? Een eeuwige herinnering voor Sigurd en Ajax. De dag waarop hun kleine broertje verdween.
Nee. Met tranen in mijn ogen schuif ik de stoel naar achter. Ik haal mama's foto van de muur, straks, onderweg, zal ik haar alles uitleggen.
Misschien weet ze het al.
Hier, bij Sigurd en Ajax, houd ik het niet meer vol. Dan word ik zoals zij of beland ik vroeg of laat weer in het grijze water van de zandgroeve. Nog wat dieper duiken, nog verder de koude in. Maar dat wil ik niet, zo beu ben ik mezelf niet.
Even later stop ik mijn spullen in drie plastic tasjes. Onderbroeken, T-shirts, mijn oude jas, broeken, drie truien. De sok van mama met de veertig euro stop ik in mijn achterzak. Als een dief dwaal ik door ons huis. 'Tot nooit meer,' zeg ik in elke kamer.
Op het nachtkastje in Ajax' kamer liggen een mes en drie munten van twee euro. Ik beschouw ze als scha-

devergoeding. Dan mag hij de snippers houden en neem ik alleen de foto van de trompetvis mee.
Het probleem van de verzamelmap is op deze manier ook opgelost. Laat ze hun foto's van *De wereld onder water* maar opsturen, met de rekening erbij.
Het is mijn probleem niet.
Ik ben pleite.

De zwemmende rat

Kunnen vissen achteruit zwemmen? Ik vergat mijn tandenborstel. Waar ga ik vannacht slapen? Groene vissen, bestaan die? Ik kan me er geen herinneren.
Jongens, wat is mijn hoofd een warboel.
De plastic tasjes bengelen in mijn hand. Ze wegen bijna niks. Ik wandel over het jaagpad richting Havelen. Uit gewoonte, denk ik. Hoelang zou het duren voor mijn broers doorhebben dat ik weg ben?
Diep in- en uitademen.
In en uit.
In mijn hoofd springt de ene vraag over de andere. Een buitelen van gekte en onrust. Tien minuten geleden wist ik zeker dat ik weg moest. Zo snel mogelijk.
Nu slaat de twijfel toe.
Zal ik toch maar terugkeren? Rustig op een plan broeden?
Nee Nee. Denk aan dat mislukte uitstapje, mama's laatste wens, denk aan alles wat er naar de haaien is.
Ik maak in gedachten een lijstje van alle rottigheid. Van de leugens, het knippen, de gemene streken, het slaan, het pesten … Van het zinkende schip. Dat is het. Ons gezin, dat vervloekte huis is een zinkend schip. En ik ben een rat, een zwemmende rat, een ontsnappende rat. Die beesten willen in zo'n geval maar één ding: wegwezen.

Er staat een raam open aan de achterkant van het gebouw. Het raam van de leeshoek, weet ik. Het zit half verscholen achter een verwilderde rododendron. Een prima plek voor insluipers.
Het is logisch dat ik hier beland ben. Een tussenstation, morgenvroeg neem ik de bus, naar een of andere stad.
Is dit wat Sigurd en Ajax willen? Hun kleine, vervelende broertje dat de benen neemt? Best mogelijk, dan zijn ze mooi van me af.
Niet nadenken, niet nadenken. Je bent een zwemmende rat, het enige wat jij doen moet, is ploeteren.
Ik duikel mijn plastic tasjes achterna, door de smalle opening, via de vensterbank naar een van de stoelen. Elegant is het allemaal niet. Maar alleen het belangrijkste telt: niemand zag me.

De muren van de centrale zaal zijn vrijgemaakt. Er staat een ladder, een oude emmer met verfkwasten en enkele verfpotten. Ik herinner me vaag dat papa ooit anderhalve week als verfhulp werkte. Hij moest toen vroeg uit de veren, niet bepaald zijn sterkste kant. Ik weet niet of hij ontslag nam of zelf de zak kreeg. Waarschijnlijk dat laatste.
De boekenrekken staan in het midden van de zaal. Met een beetje fantasie kun je er een angstige kudde in zien. Of een kampement woonwagens, van cowboys op weg naar god-weet-waar. Thor, de watercowboy, ha. Ik wring me tussen de rekken door, een doolhof van boeken. Pal in het midden is wat ruimte, of ze

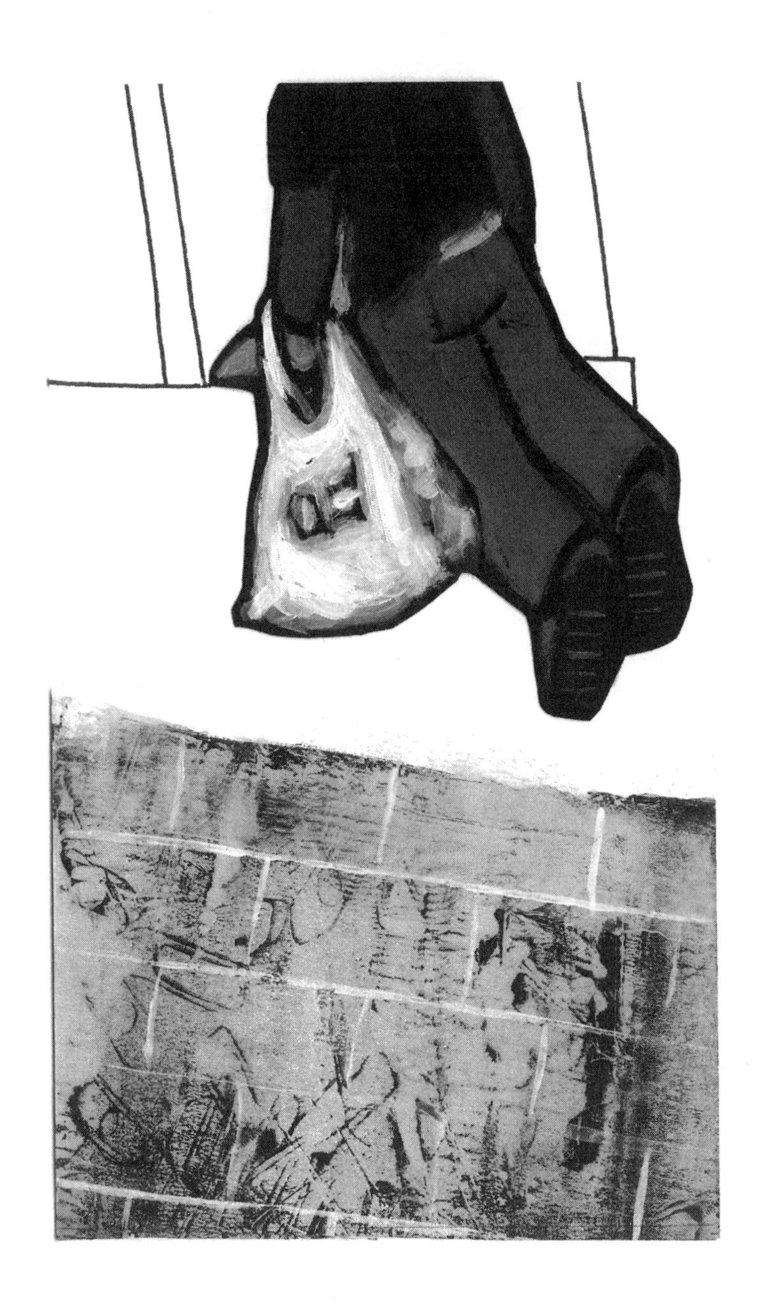

speciaal voor mij een plaatsje vrijlieten. Ik haal de foto van mama uit een van de plastic tasjes.
Ik wil haar iets zeggen, vertellen wat er vandaag allemaal gebeurde. Maar de woorden haperen in mijn mond.
Ik zuig mijn onderlip naar binnen, duw mijn vuisten tegen mijn slapen. Als ik te hard nadenk over mezelf krijg ik kramp in mijn buik en wangen.
Misschien heeft pa dat ook en drinkt hij daarom zo veel?
Ik schud mijn hoofd, rustig Thor. Deel 1 van mijn wilde plan is achter de rug, de eerste stap is gezet. Nu deel 2 nog. Dat deel van mijn plan is net zo leeg als een wit blad papier. Maar ik heb nog een hele nacht om het te vullen.
Laat ik beginnen met een telefoontje.

Ze is niet thuis. 'Probeer het over een uurtje nog eens,' zegt haar moeder. 'Wie mag ik zeggen dat er gebeld heeft?' vraagt ze.
'Uh, ik ...'
'Ben jij die jongen, Thor geloof ik?'
Ik leg de hoorn neer en loop voorzichtig naar de deur. Het kantoortje van Irene ligt rechts van de leeszaal. Ik ga op mijn knieën zitten, loer om de hoek, de kust is veilig. Op handen en voeten kruip ik naar de balie en vandaar de zaal in. De ramen zitten hier hoger, toevallige wandelaars kunnen me niet zien.
Nog een uur of vier voor het donker wordt. Zodra de maan de baas is, haal ik wat kussens uit de stoelen in

de leeshoek. Daar kan ik best een bedje van maken. Goed genoeg voor één nacht. En alvast wennen voor alle nachten die komen.
Misschien bel ik Evelien terug. Misschien ook niet.
Ik zie plotseling glashelder hoe het verder moet, wat ik met mezelf van plan ben. Ik word zo'n jongen uit films of boeken, een zwerver. Op de een of andere manier moet ik in warmere streken terecht zien te komen, de Middellandse Zee en zo, waar de winters niet zo streng zijn.
Ik zal als een illegaal reizen, verstopt in aanhangwagens of de wc's van treinen. Aan liften waag ik me niet. Hoe oud zouden de mensen me schatten? Een jaar of drie ouder dan ik werkelijk ben? Als ik mijn schouders wat laat hangen en nog norser kijk? Ik zal slapen in portieken of op het strand. En met allerlei baantjes geld verdienen. Met een beetje geluk versier ik een baantje in een duikschool en …
Ik sla mezelf voor het hoofd. Pets. Word wakker Thor. Slaan je hersens nu helemaal op hol, is dat wat er loos is?
Kijk om je heen, naar je schamele bezittingen, naar je magere zelf. Open je ogen, kereltje!
Hoe denk je dat het meestal afloopt met ratten als jij? Op een zonnig strand, dacht je dat werkelijk? Je weet toch heus wel beter. Jij eindigt in het beste geval in de goot. Als je de goot al haalt tenminste, als je niet nog verder wegzakt.
Stop.
Ik kan de gil maar net in mijn mond houden, maar de

kreet echoot na in mijn hoofd. Ik word blijkbaar gek, zo simpel is dat. Ik moet mijn gedachten op een rijtje krijgen, op een normale manier denken.
Niet het ene moment wit, en twee seconden later hartstikke zwart. Dat is niet vol te houden!

Wrak ontdekt

Water, er was overal schitterend blauw water. En helder, net of ik door puur licht kliefde. Koraal in meer dan duizend kleuren, prachtige vissen die even met ons meezwommen en dan sierlijk in het groen verdwenen.
Ik zat als een fakir op de rug van een bultrog. Een vliegend tapijt met vinnen. Hij scheerde over zanderige bodems, voorbij een scheepswrak, over een diepe kloof …
Het gebeurt zelden dat ik een droom kan bewaren in zulke heldere kleuren. Nog vreemder is het dat al die kleuren er waren in mijn donkerste nacht ooit.

'Waar denk je aan?' vraagt Irene. Ze draagt een overall, klaar om een dagje te verven en met boeken te sjouwen.
'Niks,' antwoord ik. Mijn stem botst tegen de kale muren. Ik zit op een stoel in haar kantoortje.
'Niks?' Ze tuit haar lippen, trekt een lade open. 'Lust je een koekje?'
Ik knik.
Een man met een verfkwast in zijn hand steekt zijn hoofd om de deur. 'Ik ga beginnen,' zegt hij.
'Fijn.' zegt Irene.
De man verdwijnt, daar is de stilte weer. De stilte waarin ik een nacht lang heb gezwommen. Een pik-

zwarte zee van lange uren zonder slaap. Van piekeren en huilen en honger en piekeren en botsen, steeds weer botsen. Ik botste op mezelf, kon geen kant uit. Toen het zonlicht door de ramen brak, was ik een wrak. Wat botten, vlees, een kapotte droom, halve gedachten. Een hoopje ellende dat aanspoelde in een kale bibliotheek. Irene vond me, gaf me cola en koekjes.

'Wat ben je van plan?' vraagt Irene zachtjes.
Een prop in mijn keel, ik maak een onbestemd geluid, haal mijn schouders op.
Irene kucht. Als ze me nu omhelst, ga ik huilen.
'Waarom?' vraagt ze.
Mijn mond klapt open en dicht, ik schud vertwijfeld mijn hoofd. Waarom?
Plotseling, zonder waarschuwing, als etter uit een zweer, wil ik haar alles vertellen. Is het omdat mijn lijf overal pijn doet, of omdat ik zo ontzettend moe ben? Is het omdat ik zo veel gedachten heb, waar ik geen raad mee weet.
En waar begin ik dan? Bij het lelijke van Sigurd, of nog eerder, de eerste kus van mama en pa? Of vertel ik over Ajax, of over hoe papa afdroop, de foto in de gang of ...?
De eerste zin verrast me. Fluisterend glipt hij uit mijn mond, maar het voelt of ik er niets over te zeggen heb.
'Wat zeg je?' Irene buigt zich voorover.
Ik schraap mijn keel. Oké, dit verhaal dan, onze grootste mislukking.
'Mama was ziek,' zeg ik. 'Erg ziek, en ze wilde graag

één keer de zee zien.'
'Water is als bloed,' mompelt Irene. 'Sorry, ga verder.'
Ik vertel haar het verhaal van die ene alleszeggende, rampzalige zondag. Zo goed en zo kwaad als ik het me herinner.

Een dag aan het begin van de zomer, op het eind van een of ander verlengd weekend. In mijn geheugen is het of mama vlak erna stierf, maar ik denk dat dat niet klopt.
In ieder geval was mama al erg ziek. Ze takelde snel af, werd zienderogen magerder, lag uren in haar bed, huilde.
Wisten we toen al dat ze niet meer zou genezen? Ik vermoed het, al heeft niemand, de dokter niet en pa evenmin, daar ooit een woord van gezegd.
Over mama's ziekte werd gezwegen, zo hard we konden.
Of hoefden we er niet over te praten?
Op een dag wist ik gewoon dat mama zou sterven. En ik wist dat de anderen dat ook wisten. Ik begreep het, terwijl ik op een pizza zat te kauwen en naar mama keek. Een soort van lichtflits, zoals je een vraagstuk soms plotseling snapt.
Mama zag me kijken, las in mijn blik wat ik in haar zieke lichaam had gelezen.
Ik denk dat ze bijna 'sorry' had gezegd. Gelukkig stond ze in plaats daarvan op en zei met hese stem dat ze de zee nog nooit had gezien.
En dat het daar hoog tijd voor werd. En of iemand

zich ons laatste gezinsuitstapje kon herinneren?
Het was op een vreemde manier gezellig in huis die dagen. Gezelliger dan het er de laatste jaren was. We hielden ons in, liepen op onze tenen. Alles voor mama. Of toch veel.
Pa besliste uiteindelijk op welke dag we naar zee zouden gaan. Een zondag die een kruisje kreeg op de kalender, nog vier keer slapen.
Sigurd regelde het zo dat hij de auto van een vriend kon lenen. Ajax beloofde dat hij zou meegaan en voor mama een zandkasteel zou bouwen.
Mama fleurde op, het leek of ze enkele dagen lang een wapenstilstand sloot met de ziekte.
'Wat vind jij van de zee, Thor?' vroeg ze.
Ik haalde mijn schouders op. 'Leuk,' zei ik en wist hoe slap het klonk. Maar met school waren we in Oostende geweest. Op een veel te koude, winderige dag. De Noordzee leek me te grijs voor de heldere waterbeelden die ik toen nog maar pas in mijn hoofd had. Ik wilde mama niet teleurstellen.

Wil je wat vissen zien?

Halverwege mijn verhaal rinkelt de telefoon. Irene neemt op, zegt 'ja' en geeft met een glimlach de hoorn door. Het verbaast me niet eens dat zij het is: Evelien. Het is zo'n ochtend waarop alles kan. Haar stem klinkt anders dan ik verwachtte. Ze praat trager dan ze chat. En ze vraagt meteen wat er mis is.
'Niks,' zeg ik schor, terwijl ik de tranen van mijn wangen veeg. Het is stom van me dat ik huil.
'Heb je al beslist?' vraagt ze. 'Ga je mee naar dat kamp?'
'Kan ik niet betalen.'
'Zoek dan een baantje.'
'Jongens als ik krijgen geen baantjes.'
'Behalve als ze de bibliotheek helpen verven,' klinkt het achter me.
'Huh?' doe ik verbaasd.
'Wat zeg je?' vraagt Evelien aan de andere kant van de lijn.
'Dat ik jou niet ken.' zeg ik luider dan nodig is.
'Vind ik ook,' lacht ze. 'Ken je dat nieuwe reuzenaquarium in Antwerpen? Papa kan via zijn werk gratis toegangskaarten krijgen. Snappie?'
Ik snap het. 'Waarom?' breng ik uit. 'Heb je medelijden met me of zo?' snauw ik. 'Zo'n zielenpoot ben ik niet, hoor.'

Belachelijk natuurlijk. Zo'n zielenpoot ben ik vast en zeker.
'Hé,' bijt ze terug. 'Ik wil je wat vissen laten zien. Meer niet. Omdat we dezelfde hobby hebben. Zo zijn er niet zo veel kinderen. Jij doet of ik met je wil trouwen!'
'Sorry,' verontschuldig ik me.
'In je mailtjes klonk je aardig,' blaast ze, 'ik dacht ...'
'Sorry,' herhaal ik. 'Ik ben, het is ...'
Irene neemt de hoorn uit mijn hand. 'Is het goed als hij morgen terugbelt?'
'...'
Irene luistert en knikt. Als ze uiteindelijk antwoordt, kijkt ze naar mij. 'Hij heeft al een baantje,' zegt ze. 'Als hij wil tenminste. We kunnen hier in de bieb best wat hulp gebruiken!'
Even later legt Irene de hoorn neer. 'Waarom heb jij zo'n hekel aan jezelf?' zucht ze.

Ik begrijp maar niet waarom ik daar als een drenkeling in de bibliotheek zit. Veruit het zieligste jongetje van de klas.
Op het bureau voor me liggen enkele vellen wit papier en een pen.
'Misschien gaat het makkelijker als je de rest van het verhaal opschrijft, Thor?'
Ik slik en knik en schaam me te pletter. 'Waarom zou ik?' zeg ik.
'Waarom niet?' reageert Irene.
Ik weet best wat ze bedoelt. Zojuist, terwijl ik vertel-

de, kwam ik niet verder dan de aanloop tot die ene zondag. En er is nog zo veel wat ik wil vertellen. Alle zaken die van ver of dichtbij met duiken en onder water te maken hebben.

De zee is te groot

'Is het daarom? Ben je daarom zo gek van al die vissen?' Ajax veegt met zijn mouw de resten van tomatensaus uit zijn mondhoek. Hij legt het blad voorzichtig terug op tafel.

Terug thuis zijn we, tussen de rommel en de vuiligheid en de spullen die we misschien ooit zullen gebruiken.

Daarstraks dacht ik dat hij me zou slaan. Eens flink in mekaar meppen. Razend was Ajax, door het dolle heen. En maar roepen in de lege bibliotheek, zijn stem die tegen de muren botste, zijn stampvoeten.

Ze hadden me gezocht, mijn verdwijning al bij de politie aangegeven. Met zijn tweeën waren ze gisteravond laat nog naar de zandgroeve gegaan. Ze vreesden het ergste. Nog later hadden ze het hele dorp doorkruist, geen van beiden had de voorbije nacht een oog dichtgedaan.

'Zo veel broertjes hebben we niet,' zei Sigurd. 'En we zijn al met zo weinig.'

Irene stond met gevouwen armen in de deuropening en liet Ajax uitrazen.

Diens stem werd steeds schriller, nijdiger. Tot Sigurd een grote hand op zijn borst legde. 'Zwijg nou maar,' zei hij. 'We hebben hem terug.'

Ik had bijna geknikt. Als Irene niet met het blad gewapperd had. Een witte vlag vol woorden, in dat prie-

gelschrift van me.
'Lees dit eens, jongens,' zei ze.
En ze hebben het gelezen. Eerst Sigurd die achteraf niks zei, maar me minstens een minuut aanstaarde. Ajax las mijn verhaal, terwijl hij een pizza verorberde.

Er hing die ene zondag vanaf 's ochtends rottigheid in de lucht. Het enige positieve teken was de staalblauwe lucht en de belofte van zon op de radio.
Het gespannen wachten op het uitstapje had veel van mama's krachten gekost. Te veel? Ik wist niet dat blij zijn ook aan je kon vreten.
Maar niemand stelde voor om de hele onderneming af te blazen. Dat was verstandiger geweest. We hadden die dag thuis moeten blijven.
Sigurd die haastig ontbeet, omdat hij nog wat aan de wagen wou sleutelen. Het ding startte niet zoals hij dat wilde.
Pa die zich met twee handen vasthield aan een kop koffie en voor zich uit zat te mompelen. Ajax die tot op het allerlaatste moment in zijn bed bleef liggen. Hij kwam in feite pas zijn bed uit, toen Sigurd hem eruit dreigde te ranselen.
En mama die veel te bleek was. Met bevende handen smeerde ze een boterham en ontweek elke blik. Ik stopte wat badhanddoeken, een halve fles water en mijn zwembroek in een plastic zak.
De wagen was te klein voor ons vijven, misschien lag het daaraan? Of omdat Ajax per se voorin wilde zit-

ten. Anders ging hij niet mee!
Mama offerde zich op en nestelde zich op de achterbank. Met een flauwe glimlach, met haar laatste restjes moed.
'Waar gaan we heen?' raspte mama.
'De zee,' zei pa nors. Er hing een zurig geurtje om hem heen.
'De zee is groot,' probeerde mama nog.
'Knokke,' zei Sigurd met zijn handen op het stuur. 'In Knokke ben ik al eens geweest.'
'Mij maakt het niet uit,' zei ik. 'Als het maar niet Oostende is. Dat vond ik saai.'
'Nederland,' riep Ajax. 'We gaan naar de Nederlandse kust.'
'Waarom?' vroeg ik.
'Omdat ik het zeg.' Hij haalde onverwacht uit, tikte me tegen mijn neus.
'Niet slaan,' brulde pa.
'Het was om te spelen.'
'Maar het was raak, smeerlap.'
...
Ik riep, Ajax lachte smalend, Pa brulde, Sigurd vloekte, mama smeekte. Een ruzie die veel te groot was voor de auto.
Thuis kon het kwade door de ramen naar buiten, of kon je naar je kamer vluchten of op het toilet gaan zitten en je er niet mee bemoeien.
Sigurd mepte Ajax tegen zijn hoofd, mama kreeg een duw van pa, minstens twee handen gaven mij een klap.

Gelukkig was Sigurd zo verstandig om de parkeerplaats van een tankstation op te rijden. Hij stuurde de wagen naar de verste uithoek.
De deuren vlogen open, pa rolde het asfalt op, Ajax beende woedend om de wagen heen. Na twee rondjes viel hij stil en ging op de motorkap zitten, zwijgend.
Pa ging op een stoepje zitten en sloot zijn ogen.
Sigurd leunde achterover, tokkelde nerveus op het stuur. Ik zat als versteend op de achterbank en durfde niet naar mama te kijken. Daar stonden we, op nog geen dertig kilometer van huis.
De stilte, het onbeweeglijke, duurde minuten. Toen zuchtte mama en stapte voorzichtig uit de auto. 'Bedankt,' mompelde ze. 'Het was een fijne dag. Gelukkig hoef ik me hem niet lang te herinneren.' Met voorzichtige stapjes wandelde ze weg.
Een half uur later kwam ze terug. Ze stapte in de auto en zei dat we terug naar huis gingen. Zo belangrijk kon de zee onmogelijk zijn.
Niemand protesteerde.

De grote plons

'Pieker voortaan wat minder,' zeiden ze. 'En wees niet zo'n stommerik. Je mag met ons praten over al die gekkigheid van je. Niet de hele tijd liefst, maar wel voor je weer oenig gaat doen, kleine broer. Stijfkop.'
Het is avond, ik wandel in mijn eentje langs het kanaal. Het is goed om alleen met mezelf te zijn. Er scheert een vogel over het water. De lucht is een palet van rode en donkerblauwe kleuren. Het soort blauw dat ik morgen over de muren van de bibliotheek mag uitsmeren.
Mijn vakantiebaantje.
Kleine broer. Het is ongewoon, ik snap het maar half. Waarom mijn broers plotseling zo bezorgd zijn? Meer zelfs, ze vinden het goed dat ik naar Frankrijk ga. Ik hoop stiekem dat mijn verhaal hen over de brug haalde. Dat ze daardoor hun bezwaren in de kast stopten. Maar ik weet dat Irene hen overtuigde. Vanmorgen, toen ze me kwamen halen in de bibliotheek. Ze heeft ruim een uur met mijn twee broers gepraat. Over mij, zonder twijfel. Wat precies, daarover zeiden ze geen van drieën een woord. In elk geval was het resultaat dat ik op duikkamp mag.
Het speelt natuurlijk mee dat het hun geen cent kost. Maar toch. De komende week kan ik ongeveer 175 euro verdienen. Irene dacht dat ik gemakkelijk aan

300 euro kon komen. Op voorwaarde dat ik de klusjes uitvoer die ze nog voor me in petto heeft.

Sigurd beweert zelfs dat ik van *De wereld onder water* af ben. Eén telefoontje was genoeg; minderjarigen mogen niks bestellen bij zulke firma's.
En Evelien, wat moet ik van haar denken? Ziet ze me als een verdwaald hondje, iets waar ze voor zorgen kan en …
Stop. Morgen zal ik Evelien bellen en haar het nieuws vertellen.
Irene zei dat ik te hard ben voor mezelf. En te koppig voor andere mensen. Of was het andersom? 'Je staat je eigen dromen in de weg, Thor,' glimlachte ze. 'Het is soms te donker in je hoofd.'
Ik begrijp dat niet helemaal. Net zoals Ajax en Sigurd mij niet begrijpen.
Zij dachten dat mijn duikdroom alleen met mama te maken had. Met dat mislukte verhaal van de zee, die zondag; als een soort goedmakertje.
Dat klopt niet. Niet helemaal. Morgen zal ik hun vertellen over langoesten en bladvissen, over schorpioenvissen en zeesterren, over …
Ik hoop dat ik genoeg woorden heb om al dat moois te beschrijven. Al weet ik dat je sommige dingen niet kunt uitleggen. Van woorden kun je immers geen duikboot maken of een ladder waarmee je naar de sterren kunt klimmen.
Ik zal het toch proberen.
Want ik ga duiken. In de Middellandse Zee! Niemand

die me nu nog stopt. En in dat zoute, heldere water zal ik denken aan die grijze vis uit de zandgroeve.
En aan mama waarschijnlijk.
Ik buk me en pak een platte steen. Ik klem hem tussen mijn duim en wijsvinger. Nu gooien en laag loslaten. Hij ketst en ketst en ketst.

De boeken uit de serie **Het leven van ...** gaan over het leven van kinderen zoals jij. Lees ze allemaal!

Heel veel kusjes, tralala

Leslie woont bijna zijn hele leven op Curaçao.
Nu moet hij plotseling verhuizen naar Nederland.
'Ik wil geen nieuw leven,' zegt Leslie. 'Ik was heel tevreden met mijn oude leven.'
Vooral Denise zal hij erg missen. Zeker als hij vlak voor zijn vertrek merkt hoe verliefd hij op haar is.
Dan blijkt dat Denise bij hem in het vliegtuig zit.
Maar Leslie is wel de enige die haar ziet en hoort.

Ik leef nog!

Op een dag wordt Marthe ziek. Heeft ze te veel gesnoept op haar vaders verjaardag? Zo onschuldig is het helaas niet, Marthe blijkt geelzucht te hebben. Maar waarom wordt ze niet beter? Ook al die weken in het ziekenhuis gaat ze alleen maar verder achteruit. Steeds verder achteruit, tot haar leven nog maar aan een zijden draadje hangt ...

Toch komt het uiteindelijk goed.

Liedje van verdriet

Alles is anders geworden voor Esther op die rotte novemberdag. Het is de dag dat haar oudere zus Judith is verongelukt. De dood van Judith maakt Esther verdrietig, maar ook boos. Haar ouders zijn als de dood dat háár ook iets ergs overkomt en ze mag niet eens meer wilde spelletjes doen.

Esther brengt briefjes voor Judith naar de oude boom vlak bij de plaats van het ongeluk.

Van wie zijn de briefjes en de liedjes die ze ook in de boom ontdekt?

Mijn mam is beroemd

Het lijkt leuk: een beroemde moeder en lekker veel geld. Maar Lisa vindt haar leven vooral saai, ook al woont ze in een grote villa en maakt ze verre reizen. Lisa wil schrijfster worden. Maar hoe schrijf je een spannend boek als je leven zo saai is als dat van Lisa? Al snel hoeft Lisa niet meer na te denken over wat ze zal gaan schrijven. Het boek schrijft zich vanzelf. Het begint allemaal met een mailtje voor haar beroemde moeder van iemand die beslist geen fan is ...

Het allerlaatste puzzelstukje

Rubens ouders hebben het heel druk. Zijn vader rent voor zijn werk van hot naar her. Zijn moeder moet heel veel werken, omdat ze dat over een poosje niet meer kan als Rubens zusje geboren wordt.
Ruben heeft het gevoel dat hij er maar een beetje bij bungelt. En als zijn zusje er straks is, hebben zijn ouders natuurlijk helemáál geen tijd meer voor hem.
Ruben denkt er sterk aan om weg te lopen. Hoelang zou het duren voor zijn ouders hem missen?